L'Editeur tient à remercier Mme Christine Ockrent et Antenne 2
pour leur aimable autorisation d'utiliser le titre *Carnets de route*.

LES CARNETS DE ROUTE DE TINTIN

une collection conçue et animée par Martine Noblet

Les films du sable remercient de leur participation à cet ouvrage
les photographes de **Connaissance du monde** suivants :

Jean-Claude Berrier, Christian Monty,
Michel Drachoussoff, Maximilien Dauber.

Les auteurs remercient de leur collaboration
Mac-Léo Félix et Christiane Erard.

L'AFRIQUE NOIRE

Texte : Daniel De Bruycker et Maximilien Dauber

ISBN 2-203-05204-x
© Hergé/Moulinsart 1992
© casterman/1992 pour la présente édition

TINTIN AU CONGO ! ou **TINTIN EN AFRIQUE NOIRE !** Il fut sans doute parmi les derniers, comme moi, à avoir la chance de découvrir l'"Afrique de papa" et de s'en émerveiller. C'était l'époque où l'on traversait encore le Sahara en "tout terrain", à la boussole; où les Pygmées chassaient à la lance l'éléphant dans la forêt interdite et où, bercés par le chant des piroguiers, de hardis voyageurs remontaient les fleuves où s'ébattaient les hippopotames et les crocodiles.

J'ai aimé passionnément cette Afrique aujourd'hui disparue, celle des explorateurs qui allaient au bout de leur rêve, celle que Tintin nous fait redécouvrir aujourd'hui.

JEAN-CLAUDE BERRIER

Ce que j'aime en Afrique noire, du Nil Bleu au fleuve Congo, c'est la diversité. Les paysages extrêmes, les populations et les coutumes innombrables. J'y ai beaucoup voyagé par plaisir. L'*homo africanus* d'Ethiopie ne ressemble pas tout à fait à celui du Zaïre. L'un et l'autre, pourtant, me sont apparus comme des êtres joyeux, spontanés, dotés d'un humour aigu (pas toujours noir) et d'un goût immodéré pour la musique et la fête : ne sont-ils pas à l'origine du jazz et du *reggae* ?
Ecoutez les griots africains et les autres conteurs de légendes fantastiques. Qu'ils s'accompagnent à l'inanga ou au balafon*, ils vous diront que ce qui compte réellement dans leur pays, c'est la nature et qu'elle y est grandiose : la savane, la forêt, les fleuves, les arbres, voire même les dieux qui s'y cachent et le vide du désert. Or, les changements de la nature, si on la laisse simplement vivre, ne se mesurent pas en siècles, mais en millénaires.
L'Afrique ne fait pas partie du royaume bien léché de la raison. Pourquoi, par exemple, cette terre est-elle si pauvre, elle qui produit le cacao, le cuivre et les diamants ? Aucune explication d'économiste ne vous apportera la bonne réponse.
A mon avis, il faut appréhender les choses autrement. L'Afrique actuelle, même si elle est largement explorée, cartographiée et exploitée, demeure le continent de la démesure et du mystère.

CHRISTIAN MONTY

* Harpe et xylophone, respectivement de l'est et de l'ouest de l'Afrique noire.

SOMMAIRE

les mots en caractères **gras** dans le texte renvoient au glossaire page 70

QUELLES SONT LES GRANDES RÉGIONS D'AFRIQUE ?

D'est en ouest, sur 5 000 km, l'Afrique est traversée par le désert du Sahara. C'est lui qui sépare l'Afrique du Nord de l'Afrique noire.

DES cinq continents, l'Afrique est réputée pour ses grands espaces sauvages et son climat torride. On a coutume de diviser l'Afrique noire en quatre grandes régions. L'Afrique occidentale, située entre le **Sahara** et le golfe de Guinée, est assez humide, fertile et très peuplée. La côte est jalonnée de grands ports autour desquels se sont constitués autant de petits Etats comme la Sierra Leone, le Liberia ou le Ghana. Les autres grandes villes se répartissent le long du Niger, le fleuve le plus important de cette région.

Autour de l'équateur, l'Afrique centrale est une zone dominée par la forêt humide. Les pluies abondantes alimentent les eaux d'énormes fleuves comme le Zaïre, dont le vaste bassin constitue le cœur de cette région.

L'Afrique de l'Est, généralement plus sèche, présente un relief de hauts plateaux, de montagnes et de volcans. De grands lacs donnent naissance à des fleuves comme le **Nil Blanc** et le **Nil Bleu** qui coulent en direction de l'Egypte et de la Méditerranée. L'Afrique **australe**, située dans l'hémisphère sud, est une région assez aride et comprend d'immenses savanes et l'un des plus grands déserts africains : le Kalahari. Seul l'extrême sud, au climat méditerranéen, permet de riches cultures. Enfin, plusieurs îles de l'océan Indien, dont la plus grande est Madagascar, sont également peuplées d'Africains.

OÙ EST NÉ L'HOMME ?

Les recherches <u>actuelles</u> situent le "berceau de l'humanité" à l'est de l'Afrique, entre la Tanzanie et l'Éthiopie.
C'est là que les paléontologues ont découvert les ossements humains les plus anciens connus à ce jour.

C'EST dans la vallée du Rift que des primates, nommés **australopithèques**, évoluèrent lentement jusqu'à l'homme actuel, en passant par différents stades et durant des millions d'années. Vint d'abord l'Homo habilis puis l'Homo erectus. L'assèchement du climat faisant reculer la forêt, l'homme dut apprendre à survivre dans la savane et à marcher debout pour guetter ses ennemis ou ses proies. Ses mains ainsi libérées, il apprit peu à peu à manier et à fabriquer des outils. Il se mit à vivre en groupes mieux organisés et, grâce à l'usage de la parole, l'Homo erectus évolua en Homo sapiens, espèce à laquelle nous appartenons.

Il a fallu des trésors de patience aux **paléontologues** pour reconstituer, à partir de fragments de squelettes et d'outils découverts sur les sites d'Olduvai (Tanzanie), du lac Turkana (Kenya) ou de la vallée de l'Omo (Ethiopie), ces premières pages de l'aventure humaine. Progressivement, des groupes humains émigreront vers l'Europe et l'Asie, beaucoup plus tard vers l'Océanie et les Amériques. Grâce aux travaux des chercheurs, on sait aujourd'hui que tous les hommes, par delà leurs différences physiques, leurs cultures, leurs langues et leurs coutumes, descendent d'une même famille originaire d'Afrique, celle de notre lointaine aïeule Lucy, une australopithèque d'Ethiopie morte à l'âge de 20 ans il y a plus de trois millions d'années.

POURQUOI LA PLUPART DES AFRICAINS ONT-ILS LA PEAU NOIRE ?

La couleur de la peau dépend de l'ensoleillement. Elle est due à la pigmentation qui protège l'épiderme des brûlures occasionnées par les rayons du soleil.

SELON les biologistes, les premiers hommes avaient probablement la peau sombre. Privés d'ensoleillement quotidien, les Européens auraient vu leur épiderme s'éclaircir au fil des générations. En revanche, celui des Africains se serait peu à peu assombri, mais de façon irrégulière selon les régions.

Les peuples à peau foncée d'Afrique ont généralement les cheveux crépus et des traits physiques caractéristiques, mais on ne peut parler d'une "race noire", tant les Africains présentent de différences entre eux. En effet, si les Pygmées, comme beaucoup d'habitants des forêts, partout dans le monde, sont de petite taille, d'autres peuples comme les Dinkas du Haut-Nil, par exemple, sont très grands et élancés.

La couleur de la peau peut varier du noir profond au marron clair, voire au brun tirant sur le jaune chez les Bochimans ou au rouge cuivré chez les Pygmées. Cette différence de pigmentation est due au taux de **mélanine**, un corps chimique responsable de la couleur foncée de la peau et qui varie selon les groupes africains.

Les traits du visage, la taille, la texture des cheveux, autant de caractéristiques qui ne donnent pas une morphologie typique de l'Africain, tant les variations selon les individus sont grandes. En outre, le mode de vie, l'environnement ne font souvent qu'accentuer les différences.

D'OÙ VIENT LE NOM D'AFRIQUE ?

Les Romains, dont les fameux guerriers numides étaient des Africains d'origine berbère, ont donné son nom au continent. L'Ifriqiya arabe, Africa en latin, était le nom de la Tunisie antique.

L E passé de l'Afrique est encore peu connu. Son histoire se confond avec celle de brillantes civilisa-tions dont de merveilleux artistes nous ont laissé le souvenir.

Jadis, en période de paix, les anciens Egyptiens com-merçaient avec la **Nubie** (ou Soudan) et le pays de Pount, que l'on identifie avec l'actuelle Somalie. En 46 av. J.-C., César crée la province de l'Africa Nova. Par la suite, les Arabes musulmans ont établi des contacts avec les Africains. Leurs caravanes tra-versaient le Sahara pour aller acheter l'or des puis-sants rois du Mali, en échange de sel et de cuivre, tandis que leurs bateaux longeaient la côte orientale jusqu'à Zanzibar à la recherche d'ivoire et d'épices.

A l'ouest comme à l'est, certains des royaumes avec lesquels ils commerçaient se sont convertis bon gré, mal gré à l'islam, tandis que les rois d'Ethiopie, réfu-giés dans leurs montagnes, restaient chrétiens. Les autres royaumes, situés loin des côtes où les navi-gateurs arabes faisaient escale, demeurèrent long-temps mystérieux et inaccessibles aux Européens. Ainsi, le grand Etat **bantou**, dans la région du Zambèze, dont les immenses enceintes fortifiées, appe-lées Zimbabwe, se dressent encore dans le pays qui a choisi ce nom en souvenir de son glorieux passé.

QUI FURENT LES PREMIERS EXPLORATEURS DE L'AFRIQUE ?

Ce sont les Egyptiens et les marins phéniciens qui, les premiers, <u>cabotèrent</u> le long des côtes africaines. Ils <u>franchirent</u> la mer Rouge. On croit même qu'ils <u>contournèrent</u> tout le continent <u>remontant</u> vers les Colonnes d'Hercule, l'actuelle Gibraltar.

P AR voies de terre, de mer ou en remontant le Nil, les Egyptiens pénétrèrent dans le pays de **Koush** (l'actuel Soudan) et dans les régions reculées de l'Erythrée et de la Somalie. C'est le pharaon Néchao II, sept siècles avant notre ère, qui donna l'ordre d'effectuer pour la première fois le tour de l'Afrique. Les Phéniciens, qui étaient de grands marins, établirent des colonies sur la façade atlantique. Les Romains firent des incursions dans le Sahara encore vert à l'époque, notamment pour se fournir en animaux destinés au cirque.

Plus tard, les Arabes établirent des comptoirs sur les côtes occidentales et orientales de l'Afrique, ainsi qu'à l'intérieur des terres, pour faire la traite des esclaves. La domination arabe monopolisera le commerce et il faudra attendre le XVe siècle pour voir les premiers marins portugais s'aventurer sur les côtes de l'Afrique occidentale. Ce n'est que vers 1800 que des explorateurs européens s'enfoncèrent dans ce continent encore mystérieux pour eux. Le XIXe siècle sera celui de voyageurs célèbres comme Mungo Park, René Caillié, **Teleki**, Livingstone, Stanley, et bien d'autres personnages intrépides. Plus tard, en voiture cette fois, la croisière Citroën réitérera la grande aventure de la traversée du continent africain. Elle sera suivie d'expéditions plus modestes mais non moins aventureuses. Autant de voyages dont l'esprit était bien différent de celui des ralyes contemporains.

QUI ÉTAIENT LES NÉGRIERS ?

Le mot négrier désignait autrefois les trafiquants d'esclaves africains et les navires qui les emmenaient loin de leur pays natal.

L'ENLEVEMENT d'esclaves noirs remonte à l'Antiquité, même si, jusqu'au Moyen Age, les Slaves (d'où vient le mot esclave) sont aussi victimes des marchands. Les Arabes renouèrent avec ce commerce, transportant les esclaves à travers le Sahara ou par voie maritime.

Mais c'est pour la mise en valeur agricole de l'Amérique du Nord que l'Europe donne à la "traite des Noirs" une dimension quasi industrielle. On estime à plus de 15 millions le nombre d'hommes et de femmes ainsi déportés depuis les "côtes des esclaves" du Sénégal jusqu'à l'Angola. Portugais, Anglais et Français, avec la collaboration des rois locaux qui vendaient leurs ennemis prisonniers ou leurs propres sujets, se livreront jusqu'au siècle dernier à ce commerce honteux et cruel.

La traite des Noirs a pris fin peu à peu, après sa condamnation par le Congrès de Vienne en 1815. Néanmoins, en Afrique, certaines familles ou tribus poursuivent la tradition de l'esclavage. La vie de ces esclaves n'est pas toujours misérable, mais la privation du droit de circuler librement n'en reste pas moins leur sort quotidien.

QUE PEUT-ON DIRE DE LA COLONISATION ?

Du XIXᵉ siècle aux années soixante, l'Europe se partage l'Afrique en découpant le continent en colonies. Si elle s'efforce de moderniser et d'apporter sa civilisation au continent africain, la colonisation n'en profite pas moins aux Européens.

CHEF DE STATION

LORSQU'au siècle dernier les colonies d'Amérique se détachent peu à peu de l'Europe en accédant à l'indépendance, les explorateurs font miroiter aux yeux des Européens les richesses inexploitées du continent africain. Aussi les pays européens décident-ils d'exploiter ce "nouveau monde". Pour justifier une conquête parfois brutale, certains présentèrent alors les Africains comme des sauvages, vivant presque à l'âge de la pierre, pratiquant le cannibalisme et à qui les Blancs apporteraient christianisme, civilisation, commerce et industrie.

Vers 1900, la conquête est achevée et toute l'Afrique est soumise, hormis l'Ethiopie et le Liberia. Les pays européens se partagent alors le continent et le découpent en vastes zones à exploiter, sans tenir compte ni des Etats existants, ni de la répartition des peuples et des tribus. La France s'empare de presque toute l'Afrique occidentale, d'une bonne partie de la région équatoriale, et de l'île de Madagascar. L'Angleterre occupe l'Afrique orientale et australe. L'Allemagne, le Portugal et l'Espagne ont aussi leur part et la Belgique obtient le Congo, un territoire de 80 fois sa superficie. L'Afrique voit alors affluer des milliers de missionnaires qui ouvrent des écoles et des hôpitaux et convertissent la population à la foi chrétienne. Les colons exploitent les ressources minières et créent d'immenses plantations. Ingénieurs et techniciens tracent des routes, bâtissent des chemins de fer et des villes, tandis que des administrateurs coloniaux tentent de gouverner au nom de la métropole.

QUEL EST L'AVENIR DE L'AFRIQUE ?

La situation de l'Afrique noire est critique. Famines, guerres, dictatures, désastres écologiques, économie catastrophique et parfois surpopulation sont les problèmes majeurs de cette partie du continent.

Si la situation actuelle de la plupart des pays d'Afrique noire découle en partie des retombées du colonialisme, elle le doit aussi aux dirigeants africains eux-mêmes. Accédant à l'indépendance entre 1945 et 1966, la plupart des pays africains ont dû garder le tracé des frontières coloniales. Beaucoup de peuples se retrouvent ainsi divisés artificiellement ou dominés par d'autres plus puissants qui s'imposent par la dictature.

Nombre de pays souffrent des maux liés au sous-développement : maintien au pouvoir de chefs contestés par le biais d'une armée coûteuse, administrations pléthoriques et souvent inefficaces. Même décolonisée, l'Afrique demeure l'otage des pays industrialisés qui continuent à acheter les matières premières à bas prix, fixant le montant des denrées agricoles comme le cacao, le café, l'arachide et en lui vendant les biens d'équipement et les produits industriels au prix fort. L'endettement qui résulte de cet échange inégal plonge ces pays dans un état de pauvreté chronique, plaie du sous-développement dont est victime l'ensemble du tiers monde. Si les peuples africains ne parviennent pas à contrôler leur explosion démographique et si on n'aide pas la paysannerie africaine à devenir autosuffisante et à produire de quoi nourrir la population, le continent africain risque de sombrer dans la famine généralisée.

VIT-ON VIEUX EN AFRIQUE ?

Le continent africain s'est doté de dispensaires et d'hôpitaux. Mais les maladies tropicales, la mortalité infantile, la sous-alimentation chronique et aujourd'hui le sida en font l'une des zones de la planète où l'espérance de vie est la plus courte.

L'AFRIQUE souffre de certaines maladies qu'on ne rencontre pas ailleurs, comme la maladie du sommeil provoquée par la terrible mouche tsé-tsé. D'autres maladies dites "tropicales", comme la lèpre ou la **malaria,** étaient jadis connues un peu partout dans le monde. On a vaincu cette dernière en asséchant les marécages où prolifère le moustique : l'anophèle qui transmet la maladie. Actuellement, on parvient à purifier l'eau contenant des vers et des microbes qui causent la bilharziose, la dysenterie, la fièvre jaune, etc. Mais l'Afrique n'a, hélas, pas encore pu mener à bien ces énormes travaux d'assainissement, de collecte et de traitement de l'eau potable, et reste en proie à ces fléaux. A cela s'ajoute aujourd'hui l'inquiétant développement du **sida** qui semblerait avoir pris naissance sur ce continent.

En outre, les maladies du bétail, les nuées de criquets et la sécheresse ruinent les récoltes et aggravent les problèmes de sous-alimentation. Malgré toutes ces plaies, la population, un peu mieux soignée et nourrie que jadis, augmente très rapidement, ce qui crée de nouveaux problèmes. Comme les récoltes sont insuffisantes pour nourrir les habitants des campagnes, des millions d'Africains tentent de se réfugier dans les villes peu préparées à les accueillir. Faute d'industries qui permettraient de fournir des emplois et des logements décents, beaucoup croupissent dans des bidonvilles insalubres qui se développent ici et là de façon alarmante.

QU'EST-CE QU'UNE TRIBU ?

Une tribu est un ensemble de personnes dont les membres s'estiment descendants d'un même ancêtre. Ils acceptent généralement l'autorité d'un même chef.

HASSANT, cultivant ou élevant le bétail ensemble, les membres de la tribu forment un groupe très soudé. Ils parlent la même langue, ont la même religion et des coutumes identiques. Tous obéissent au même chef ou au conseil des anciens où siègent les aînés de chaque famille. Hommes et femmes ont des activités séparées et se retrouvent dans des confréries aux rites gardés secrets. Ainsi les jeunes gens sont admis dans la société des guerriers après avoir subi leur initiation. Celle-ci peut être un long isolement dans un bois sacré, une première chasse au lion, la circoncision, le limage des incisives ou des **scarifications**.

Pour se défendre contre leurs voisins, plusieurs tribus se sont parfois unies. De ce type d'alliances seraient nés les grands royaumes et empires de l'Afrique ancienne, tels les royaumes du Bénin, de Gao ou du Ghana. Certains de ces peuples et de ces tribus ont survécu tant bien que mal pendant la période coloniale. Quelques-uns manifestent aujourd'hui leur survivance dans les jeunes Etats indépendants en se regroupant dans des partis politiques à base "ethnique". Ce phénomène est évidemment inquiétant pour l'unité de ces pays et beaucoup de gouvernements africains tentent de susciter des partis à vocation nationale qui rassemblent des individus appartenant à des tribus jadis rivales.

QUELLES LANGUES PARLENT LES AFRICAINS ?

Comme chaque ethnie parle sa propre langue, celles qu'ont enseignées les colons européens et qui s'apprennent encore aujourd'hui dans les écoles servent souvent de langue nationale. Le risque est donc grand de voir disparaître les cultures et les traditions locales les plus anciennes.

L'AFRIQUE noire est une mosaïque de près de 2 000 langues et dialectes ! Si quelques langues sont pratiquées par des millions d'individus, comme le bantou, le **haoussa**, le yoruba ou le swahili, d'autres ne sont en usage que dans une seule tribu. Aussi, les nouveaux États ont-ils souvent conservé comme langue administrative la langue du pays colonisateur : le français, le portugais, l'anglais ou encore l'arabe dans les régions islamisées.

Cette diversité des langues complique la scolarisation. En outre, les instituteurs enseignent dans les écoles de brousse un programme scolaire souvent éloigné de l'éducation traditionnelle africaine, insistant surtout sur le calcul, le Coran ou le catéchisme. L'enseignement ancestral, utile à la vie quotidienne et à l'intégration harmonieuse au sein de la tribu : chasse, cuisine, croyances traditionnelles, danses, artisanat, a pratiquement disparu. Les gouvernements africains et la nouvelle administration formée à l'école européenne ont fait de l'instruction l'une des priorités nationales. Néanmoins, le manque d'enseignants qualifiés pose un réel problème. En effet, beaucoup d'Africains qui ont fait des études supérieures ont du mal à trouver dans leur pays un emploi correspondant à leur compétence. Aussi sont-ils nombreux à rester dans les pays développés où ils ont achevé leurs études.

QUELLES RELIGIONS PRATIQUENT LES AFRICAINS ?

A côté de l'islam et du christianisme qui se sont largement répandus, beaucoup d'Africains pratiquent encore les croyances traditionnelles propres à chaque tribu, basées sur le respect des ancêtres.

LES tribus de chasseurs honorent les puissances de la brousse, les pasteurs nomades, celles du soleil et des pluies et les agriculteurs pratiquent le culte des anciens, convaincus que l'âme des morts continue de résider parmi les vivants. Tous, à travers rites et cérémonies, dialoguent avec les esprits de la nature pour s'assurer une bonne chasse, la fécondité, ainsi que la protection des membres de la tribu.

Beaucoup d'Africains croient aussi au pouvoir de la magie. Les guérisseurs pratiquent l'exorcisme pour chasser les forces du mal du corps des malades et prescrivent des remèdes à base de fleurs, de feuilles, d'écorces ou de racines. Les féticheurs consultent les ancêtres par le biais de statues sculptées à leur mémoire. Les devins fixent les jours des mariages ou de la chasse et les magiciens, maîtres-des-pluies ou maîtres-de-la-foudre, prédisent le temps qu'il fera le jour des récoltes ou d'une fête. Certains prêtres, qui pratiquent des sacrifices d'animaux afin d'obtenir les bonnes grâces de telle ou telle divinité, jouissent d'un grand respect. Toutes ces croyances, bien que combattues par l'islam ou le christianisme, restent très vivaces dans de nombreuses régions d'Afrique et sont le plus souvent pratiquées parallèlement à l'une ou l'autre des religions **monothéistes** importées.

QU'EST-CE QU'UN GRIOT ?

Poète, conteur et musicien, le griot est
la mémoire vivante de son peuple.
Il transmet de génération en génération
toute la richesse de la tradition orale
de son groupe.

Le griot peut être un personnage officiel, occupant un poste éminent à la cour d'un chef ou d'un roi, ou un conteur établi à son compte dans une ville ou un village. Le griot officie en diverses occasions (fêtes de famille, campagnes électorales…). Il est payé en cadeaux et devient parfois un homme fortuné.

Craint et respecté à la fois, le griot exalte la gloire des puissants ou manie l'arme redoutable de la raillerie. Dans certaines régions, il est un marginal tenu à l'écart de la société mais libre de parler comme il veut. Chez les Bantous des grands lacs, en revanche, le griot est un prestigieux "ministre de la parole". Dans la tradition africaine, la parole, cadeau des dieux, est sacrée et possède une force magique. Chants rituels et incantations rythmées visent à ranimer les forces et les esprits qui peuplent la nature.

La tradition orale africaine est d'une richesse qui n'a rien à envier à nos bibliothèques. Ainsi les conteurs qui animent les veillées villageoises se sont-ils transmis de mémoire des milliers de contes, de proverbes, de légendes et d'énigmes qu'on se raconte au fil des siècles.

LE TAM-TAM EST-IL UN INSTRUMENT DE MUSIQUE ?

Le tam-tam est un tambour de bois fait d'un tronc ou d'une grosse branche évidée. Mais plus qu'un simple instrument de musique, il joue aussi le rôle de "télégraphe africain".

COMME les cloches de nos églises jadis, lorsqu'elles sonnaient le tocsin pour donner l'alerte, ou comme le clairon sur le champ de bataille, le tam-tam est "la voix de la tribu", transmettant les messages. L'Afrique connaît des milliers de tam-tams de toutes tailles et de toutes formes, souvent regroupés en grandes formations. La musique africaine associe des rythmes compliqués à des chants aux nombreux refrains et à des danses qui rassemblent toute la population. Aussi joue-t-elle un rôle clé dans la vie traditionnelle. Aucune fête familiale, civile ou religieuse ne pourrait se dérouler sans ces grandes manifestations musicales.

Rythmes, chants et danses ont été introduits en Amérique par les esclaves et adaptés aux instruments modernes. Ils sont aujourd'hui appréciés dans le monde entier sous des noms comme le jazz, le rock, la samba, la salsa, etc. Les musiciens africains jouent aussi de la harpe et du xylophone, instrument dont les griots accompagnent leurs récits. La sanza est une petite boîte de bois sur laquelle vibrent des lamelles métalliques. On en joue pour passer le temps au cours des longues marches ou pour annoncer sa venue à l'approche des villages.

QU'APPELLE-T-ON L'ART NÈGRE ?

L'art africain a bouleversé toute une génération d'artistes européens sans que ceux-ci comprennent toujours combien cette forme d'art était inséparable de la vie tribale et religieuse.

SCULPTEUR, danseur ou chanteur, l'artiste africain travaille d'abord dans un but rituel. Ses croyances religieuses sont la principale source d'inspiration de son art. Ainsi les statues des ancêtres traduisent-elles la sérénité du mort dans l'au-delà et une force contenue qui est celle du Dieu créateur. Ce sont avant tout des objets sacrés. Un fils respectera la statue représentant son père décédé, à laquelle il adresse ses prières. Certaines statuettes contiennent des gris-gris : corne de buffle ou poudre végétale, par exemple. De même les masques africains représentent souvent des esprits et servent à conjurer les forces magiques.

Si l'artiste africain trouve son inspiration dans le monde qui l'entoure, il ne le copie pas et ne vise pas à être réaliste. Il interprète ce qu'il voit et l'idéalise, d'où l'impression d'harmonie qui se dégage de l'œuvre. Des peintres comme Picasso, Modigliani ou Vlaminck, les fauves et les cubistes se sont inspirés de l'art africain pour renouveler la représentation de la figure humaine et échapper aux conventions de la peinture académique.

COMMENT SE PARENT LES AFRICAINS ?

Bijoux, parures, coiffures, tatouages, scarifications font partie de toute une tradition caractérisque de l'Afrique traditionnelle : celle d'embellir son corps.

DANS la tradition africaine, le corps est considéré comme le support d'une force vitale qui réside surtout dans la tête, le sexe, le cœur et le sang. Pour protéger ces organes des esprits maléfiques, certaines populations utilisent des signes rituels. Dans certaines régions, les dents sont limées, les oreilles, les ailes ou la cloison centrale du nez percées et ornées de bijoux. Les lèvres des femmes Saras du Tchad par exemple sont parfois distendues par l'insertion d'un disque de bois : le labret. Le tatouage et les scarifications sont généralement pratiqués au moment où l'adolescent entre dans le monde des adultes.

Les bijoux et parures, ceintures de perles ou colliers en dents de léopard jouent également un rôle magique de protection. Les coiffures peuvent être très élaborées : cheveux tressés, nattés, décorés de pendentifs ou de postiches. Ce sont souvent les hommes qui portent les tenues les plus somptueuses.

Autrefois le vêtement africain se confondait avec la parure et laissait, à l'exception du pagne, le corps nu. Sous l'influence du christianisme et de l'islam, le costume a été adopté, mais aussi les boubous aux couleurs éclatantes et les amples djellabas en Afrique occidentale.

QUE RENCONTRE-T-ON LE LONG DU FLEUVE NIGER ?

Descendre les 4 184 km du fleuve Niger, c'est voir défiler toutes les facettes de l'Afrique occidentale, depuis les montagnes de Guinée jusqu'aux marécages du Nigeria en passant par Tombouctou aux portes du désert.

D E ses sources jusqu'à son delta, en longeant les rives du fleuve Niger, on rencontre des peuples dont la vie a peu changé depuis des siècles, comme les Dogons au Mali, peuple d'agriculteurs et d'artistes. Plus en aval vivent les Songhaïs, jadis maîtres des pistes commerciales reliant l'Afrique noire au Maghreb. Au XVe et au XVIe siècle, les empereurs songhaïs étonnèrent les cours européennes en offrant, par l'intermédiaire de leurs ambassadeurs, de somptueux cadeaux tels des girafes, animaux peu connus en Europe et qui firent sensation. Leur capitale, Tombouctou, était célèbre pour ses admirables mosquées bâties en terre crue. Elle fut jusqu'au XIXe siècle le grand marché du sel et des esclaves.

Les Yorubas bâtirent de grandes cités dans le sud-ouest de l'actuel Nigeria. L'Ooni, leur chef religieux, siégeait à Ife, la ville sainte. Excellents artisans, les **Yorubas** sculptaient d'admirables masques et statues en l'honneur de leurs dieux. On les honore encore aujourd'hui dans le culte vaudou que les descendants d'esclaves noirs ont perpétué en Amérique latine et dans les Caraïbes. Les Ibos, peuple de cultivateurs, occupent les plateaux en bordure du Bas-Niger. Ils cultivent l'igname dans les forêts ou travaillent dans les palmeraies. Très nombreux et jaloux de leur autonomie, les Ibos tiennent un rôle important dans la vie politique et économique du Nigeria.

QU'EST-CE QUE LE SAHEL ?

Le Sahara est un désert de sable et de pierre.
A la lisière de celui-ci s'étend le Sahel,
une immense zone encore un peu boisée,
en cours de désertification.
La survie des populations agricoles y devient
chaque année de plus en plus difficile.

L y a 6 000 ans, le Sahara était un pays fertile aux rivières poissonneuses, coulant entre des collines où se cachait le gibier. Les peintures et gravures rupestres laissées par les Africains sur les parois rocheuses du massif du **Tassili** n'Ajjer en témoignent. On y voit les hommes garder leurs moutons, chasser la girafe ou danser. Toute cette civilisation a disparu à la suite des changements climatiques, et le Sahara est devenu une vaste étendue désertique où ne survivent que les nomades touaregs qui se déplacent de puits en puits à dos de dromadaire.

Il faut descendre bien plus au sud pour retrouver les savanes giboyeuses et les premiers agriculteurs sédentaires, luttant contre le sable et la sécheresse pour protéger leurs maigres récoltes. Le désert s'étend un peu plus chaque année et les habitants du Sahel sont souvent contraints de se réfugier dans les bidonvilles des métropoles. Pourtant, il pleut parfois dans ces régions et la sécheresse n'est pas seule responsable de la désertification. A force d'abattre les arbres pour en faire du bois de chauffage, l'homme laisse le sol trop exposé au soleil et aux vents qui détruisent la mince couche de terre arable. Comme le bois se fait rare, les bouses des animaux servent de combustible aux dépens des maigres cultures qui auraient bien besoin de ce précieux engrais, le seul disponible.

COMMENT SE NOURRISSENT LES AFRICAINS ?

L'agriculture africaine se consacre prioritairement aux cultures destinées à l'exportation. Il reste dès lors trop peu d'espace et de bras pour développer les cultures vivrières qui permettraient de nourrir la population.

LES céréales comme l'orge, le mil et le sorgho sont la base de l'alimentation des régions sèches, tandis que l'igname, la patate douce et le manioc sont cultivés dans les régions humides. On cultive aussi des légumes (pois, haricots...), des fruits (bananes et ananas) et des plantes oléagineuses comme le palmier et l'arachide. Dans l'ouest de l'Afrique, le maïs et le riz font partie de l'alimentation de base. La viande fournie jadis par la chasse est souvent remplacée par du poisson frais ou séché, de la chèvre et de la volaille. Certains peuples, comme les Pygmées, sont restés chasseurs. Ils pilent viande d'antilope et d'hippopotame, l'enrobent de feuilles et la cuisent dans la cendre.

Mais tous les peuples africains n'ont pas la chance de vivre dans une région giboyeuse. Les conditions climatiques et une désorganisation chronique de la production agricole créent la pénurie, plongeant des populations sans cesse plus nombreuses dans la famine. Le poids de la tradition qui n'entend pas limiter les naissances et qui abandonne aux femmes les travaux les plus ingrats plutôt que d'exploiter l'énergie animale pour les travaux agricoles n'arrange certes pas les choses. Si on veut prévenir la famine endémique qui frappera ce continent où des millions de gens souffrent aujourd'hui de sous-alimentation, la modernisation de l'agriculture et le changement des mentalités s'imposent.

QUEL EST LE FLEUVE LE PLUS PUISSANT D'AFRIQUE ?

Large par endroits de 20 km, le Zaïre est le fleuve le plus puissant d'Afrique. Il draine les eaux abondantes d'un immense bassin perpétuellement humide, couvert par la grande forêt équatoriale.

Si le Nil, avec ses 6 671 km, est le fleuve le plus long d'Afrique, le Zaïre est un véritable "fleuve-océan" gonflé par d'énormes affluents, comme l'Oubangui, l'Uélé ou le Kasai. Son cours de 4 700 km est entrecoupé de rapides et traverse les monts de Cristal, franchissant les impressionnantes chutes Livingstone, avant de se ruer dans l'Atlantique. Le long du fleuve, le spectacle est permanent : les hippopotames et les crocodiles s'y baignent, tandis que les troupeaux d'éléphants longent les berges ou s'y rafraîchissent. Sous un soleil torride, les indigènes pêchent le capitaine et le poisson-chat.

Dans la forêt sombre, peu peuplée et d'accès difficile, où abonde le précieux bois d'ébène, le climat est insalubre à cause des marécages. Cette forêt s'étend sur six pays : le Zaïre, le Congo, le Gabon, le Cameroun, la République centrafricaine et la Guinée Equatoriale. Les Pygmées demeurent le peuple le mieux adapté aux conditions de vie de cette forêt équatoriale. Ils vivent de la cueillette et de la chasse, sont de petite taille et ont la peau rouge cuivrée. Excellents musiciens et danseurs, ils ont conservé un patrimoine impressionnant de légendes sur l'origine du monde et sur leur dieu dont l'arc de chasse est un arc-en-ciel.

QU'EST-CE QUE "L'ARCHITECTURE DE TERRE" ?

Si les villes africaines accumulent les cubes de béton comme toutes les métropoles du monde, la campagne recèle encore une foule de villages en terre crue dont l'architecture et les matériaux utilisés sont aussi beaux qu'ingénieux.

En Afrique noire, l'architecture de terre est d'une incroyable diversité. Parfaitement adaptée aux conditions climatiques, elle emploie le plus souvent comme matériau de base le **pisé**. Lorsque le bâtiment atteint une certaine hauteur, on le consolide avec une armature en bois, comme dans les minarets des mosquées au Mali et au Niger. L'épaisseur des murs, les jeux d'ombres et de lumières, les ouvertures et les espaces savamment étudiés font de ces constructions de terre des oasis de fraîcheur d'une beauté très épurée.

Les variations climatiques et les différences de traditions confèrent une grande diversité à l'habitat africain. On trouve des cases grandes et longues aux toits recouverts d'un entrelacs de baguettes de bois et de grandes feuilles découpées en lanières, le tout imperméabilisé par une couche d'argile. D'autres sont plus petites et enchevêtrées les unes dans les autres comme chez les Dogons, d'autres encore sont hautes et pointues, comme les "cases obus" du Nord Cameroun. Au Kenya, les Masaïs recouvrent leurs cases de bouse, tandis que les Turkanas utilisent des peaux de vache. Les Pygmées, qui se déplacent beaucoup, se contentent d'un abri plus rudimentaire en bois et en feuilles. Mais quels que soient le mode d'habitat, la conception globale et la répartition de l'espace habitable entre les membres de la tribu, ces éléments obéissent toujours à un code symbolique très strict.

OÙ SE TROUVENT LES SOURCES DU NIL ?

Le Nil naît dans l'un des paysages les plus tourmentés de la planète. Une région où deux plaques de l'écorce terrestre ont fait jaillir, en se heurtant, des hautes montagnes et des volcans, qui ont creusé le grand fossé du Rift, créant ainsi d'immenses lacs.

ETTE zone de fracture du Rift s'étend de la vallée du Jourdain à l'océan Indien en passant
par l'Ethiopie, le Kenya, la Tanzanie et le
Mozambique. Les hautes montagnes du Ruwenzori, à
l'ouest, sont connues depuis l'Antiquité sous le nom
de Montagnes de la Lune. Leurs sommets enneigés,
qui culminent à 5 118 mètres, alimentent, à l'époque
de la fonte des neiges, une des sources du Nil.
L'Afrique de l'Est est surtout constituée de plateaux et
de collines fertiles où sont installés depuis
2 000 ans des peuples d'agriculteurs et de pasteurs.
Ils y ont aménagé en terrasses les pentes raides où ils
cultivent le bananier ainsi que le café et le thé depuis
l'époque coloniale.

Ces agriculteurs vivent généralement en harmonie
avec les éleveurs traditionnellement plus guerriers qui
veillent avec fierté sur leurs grands troupeaux.
Sept grands lacs se sont formés au creux du Rift, dont
le plus vaste, le lac Victoria, est un paradis pour les
oiseaux, notamment le héron, l'ibis et le flamant rose.
Sur les rives vivent des tribus de pêcheurs. Deux volcans aux sommets couronnés de neiges, bien que
proches de l'équateur, dominent la plaine :
le Kilimandjaro et le mont Kenya.

QUI SONT LES MASAÏS ?

Les Masaïs sont l'un des plus connus des peuples pasteurs.
Leurs troupeaux de bœufs à longues cornes sillonnent les savanes d'Afrique orientale.

LES Masaïs vivent sur les hautes terres du Kenya et de la Tanzanie, où ils se sont définitivement établis. Ils se déplacent avec leurs troupeaux de bovins, de moutons et de chèvres, évitant les vallées infestées de mouches tsé-tsé. A la saison sèche, ils partent à la recherche de points d'eau et de pâturages. Ainsi, toute la vie s'organise autour du troupeau dont ils sont les serviteurs autant que les maîtres. Très fiers de leur cheptel, ils méprisent volontiers leurs voisins agriculteurs. Bien qu'éleveurs, ce ne sont pas de grands consommateurs de viande. Ils se nourrissent du lait des vaches et aussi de leur sang, recueilli directement à la veine jugulaire par un adroit et inoffensif trait de flèche.

A 15 ans, le jeune Masaï devient un Moran : libéré des soins du troupeau, il vit alors au sein d'un groupe d'adolescents, s'initiant au maniement des armes et aux coutumes des adultes. Jadis, avant que les autorités ne l'interdisent, après une grande chasse où il devait tuer un lion, le Masaï devenait enfin un guerrier. Plus tard, il fonde une famille et mène son propre troupeau. Au soir de sa vie, il se retire pour se consacrer à des fonctions religieuses. Ces "classes d'âge" rythment le cours de la vie dans toute l'Afrique. Venus des régions **nilotiques**, les Masaïs sont apparentés aux pasteurs Dinkas ou Shilluks du Sud Soudan et aux Samburus vivant au nord du Kenya. D'étonnantes similitudes existent entre ces fiers pasteurs de l'Est africain et les Peuls nomades d'Afrique occidentale, ce qui laisse supposer que le Sahara, jadis vert, a permis de grandes migrations.

OÙ ÉTAIENT SITUÉES LES MINES DU ROI SALOMON ?

Des amours du roi Salomon et de la reine de Saba, naquit le premier roi de la dynastie des "Lions de Juda" qui ont régné sur l'Éthiopie et ses légendaires mines d'or.

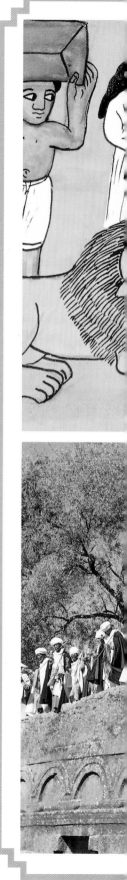

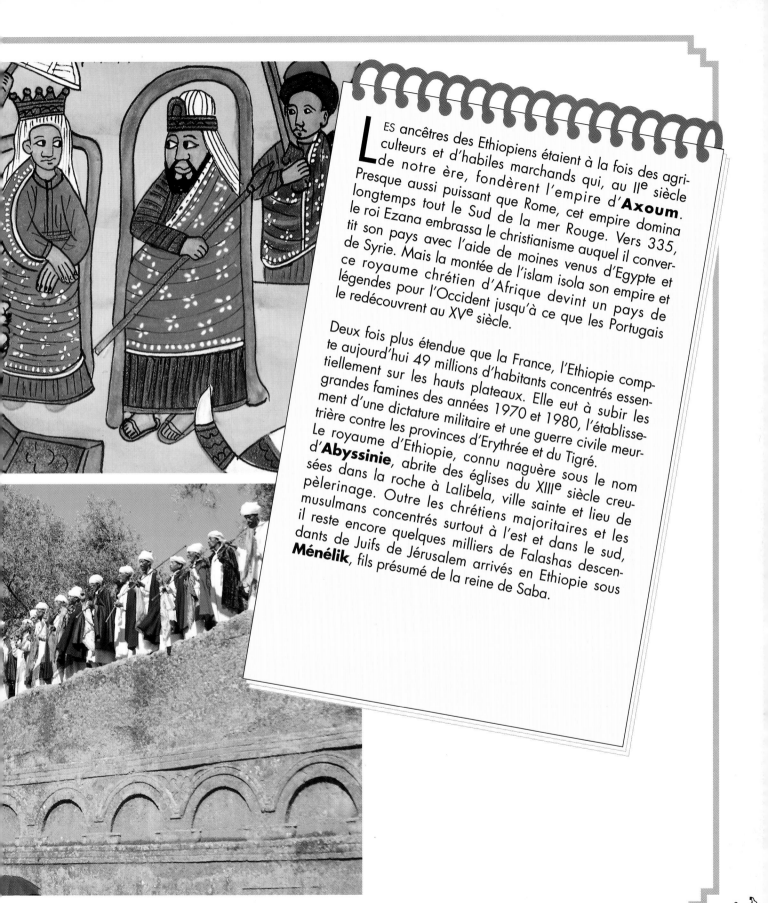

LES ancêtres des Ethiopiens étaient à la fois des agriculteurs et d'habiles marchands qui, au IIe siècle de notre ère, fondèrent l'empire d'**Axoum**. Presque aussi puissant que Rome, cet empire domina longtemps tout le Sud de la mer Rouge. Vers 335, le roi Ezana embrassa le christianisme auquel il convertit son pays avec l'aide de moines venus d'Egypte et de Syrie. Mais la montée de l'islam isola son empire et ce royaume chrétien d'Afrique devint un pays de légendes pour l'Occident jusqu'à ce que les Portugais le redécouvrent au XVe siècle.

Deux fois plus étendue que la France, l'Ethiopie compte aujourd'hui 49 millions d'habitants concentrés essentiellement sur les hauts plateaux. Elle eut à subir les grandes famines des années 1970 et 1980, l'établissement d'une dictature militaire et une guerre civile meurtrière contre les provinces d'Erythrée et du Tigré. Le royaume d'Ethiopie, connu naguère sous le nom d'**Abyssinie**, abrite des églises du XIIIe siècle creusées dans la roche à Lalibela, ville sainte et lieu de pèlerinage. Outre les chrétiens majoritaires et les musulmans concentrés surtout à l'est et dans le sud, il reste encore quelques milliers de Falashas descendants de Juifs de Jérusalem arrivés en Ethiopie sous **Ménélik**, fils présumé de la reine de Saba.

25

QU'EST-CE QU'UN SAFARI ?

Le mot safari signifie "voyage" en langue swahili. C'était autrefois une expédition de chasse comme les guerriers la pratiquaient depuis toujours.
A l'époque coloniale, les Européens n'ont pas tardé à y prendre goût.

L'époque des grands safaris organisés par les chasseurs blancs à travers la brousse sera bientôt terminée. Les Etats africains, redoutant de voir disparaître des espèces qui font la beauté et la richesse de la faune africaine, ont créé de vastes réserves où les animaux sont protégés des chasseurs. Dans ces nombreux parcs nationaux, cohabitent lions, léopards, éléphants, girafes, guépards, hippopotames qui font de l'Afrique un paradis pour les amoureux de la nature et les chasseurs d'images. Ainsi est né le safari-photo qui permet d'admirer les gazelles et les lions dans leur milieu naturel.

Si les animaux sauvages qui peuplent l'Afrique sont encore très nombreux et très diversifiés, l'équilibre reste fragile. Au Kenya, malgré l'interdiction de la chasse, les Masaïs ont continué à tuer le lion lors de leurs chasses rituelles et les braconniers ont pris le relais des chasseurs. Malgré de nombreuses campagnes, les populations africaines n'ont pas toujours conscience des pertes irrémédiables que risque de subir leur patrimoine, qui constitue une somme non négligeable de revenus liés au tourisme.

26

POURQUOI EXISTE-T-IL UN TRAFIC DE L'IVOIRE ?

Avec l'or, l'ivoire est depuis toujours
la ressource africaine
la plus convoitée.

JADIS réservé aux rois, l'ivoire d'éléphant, noble et facile à sculpter, a donné naissance à de merveilleux bijoux et à de nombreuses œuvres d'art. Au siècle dernier, l'ivoire est devenu un bien d'exportation massive. Il servait à fabriquer des boules de billard, des touches de piano, des pièces de jeu d'échecs, des manches de couteaux, etc. La corne de rhinocéros était, elle, recherchée pour ses prétendues vertus médicales et magiques. Ceci eut, hélas, comme conséquence le massacre de deux espèces naguère fort répandues dans les savanes de l'Afrique orientale et australe.

Aujourd'hui, le commerce de l'ivoire est interdit et les éléphants africains, dont les défenses peuvent peser jusqu'à 100 kg, sont protégés dans d'immenses réserves. Vivent en leur compagnie des espèces typiques de la faune africaine : lions et guépards, gnous, buffles et élands du Cap, grandes antilopes et fines gazelles, zèbres, girafes, hippopotames, crocodiles, etc.

Pourtant, dans certains pays, la chasse est encore autorisée et l'appât du gain suscite toujours des vocations de braconnier : une belle défense d'éléphant représente parfois, au marché noir, l'équivalent d'un an de salaire pour un Africain ! Aussi le massacre des éléphants et des rhinocéros continue-t-il, et si les pays utilisateurs d'ivoire ne renoncent pas à l'acheter clandestinement, le risque est grand de voir disparaître deux des plus gros animaux de la planète.

27

QU'EST-CE QUE L'APARTHEID ?

En afrikaans, la langue des Boers,
le mot signifie "séparation" :
c'est la loi du "chaque race à part".

CONQUISE dès le XVIIIe siècle par des émigrés hollandais, les **Boers**, l'Afrique du Sud est aujourd'hui le pays le plus riche et le plus industrialisé du continent africain. Après l'accession à l'indépendance de la plupart des pays colonisés, l'Afrique australe est restée aux mains d'une minorité de colons blancs. Ceux-ci ont refusé de reconnaître l'égalité des droits de la population noire, instaurant l'apartheid comme système politique.

Aux Blancs minoritaires appartiennent les mines d'or et de diamant, les bonnes terres de culture et d'élevage et toute la région du Cap avec ses vignobles et ses vergers. Aux autres, Noirs, Métis et Indiens, majoritaires, des territoires dispersés, arides et sans ressources minières. Aussi ces populations sont-elles obligées d'aller chercher du travail dans les régions dominées par les Blancs. Interdites de droit de vote, elles ne peuvent ni y habiter, ni fréquenter les Blancs et les établissements qui leur sont réservés. Toute révolte fut longtemps réprimée. Les protestations des leaders noirs comme l'évêque Desmond Tutu ou Nelson Mandela, maintenu 26 ans en prison, et l'indignation progressive du monde entier, ont enfin provoqué l'abolition de ce système injuste et un début de mise en place d'un pouvoir partagé entre les différentes communautés.

28

OÙ FUT DÉCOUVERT LE PLUS GROS DIAMANT DU MONDE ?

Le Cullinan, le plus gros diamant du monde, fut découvert en Afrique du Sud en 1905. Offert au roi d'Angleterre, il pesait 3 106, carats soit 621 grammes.

LE diamant est loin d'être le seul trésor de l'Afrique du Sud. Le sous-sol recèle aussi de l'or, de l'argent, du platine, de l'uranium, du chrome, du charbon et bien d'autres matières premières. D'autres pays ont un sous-sol presque aussi riche : le Zimbabwe et le Zaïre possèdent des mines d'or sans oublier les pierres précieuses au Kasai, le minerai de cuivre au Katanga et les champs de pétrole au Nigeria.

Les bois exotiques sont exploités un peu partout, mais cette richesse africaine est à double tranchant. L'abattage anarchique de millions d'hectares de forêts a provoqué l'érosion des sols et stérilisé en partie le continent. Les feux de brousse et le bétail des nomades achèvent de détruire le peu de végétation qui subsiste dans certaines régions, favorisant l'avancée des zones désertiques. Mal équipés pour exploiter et transformer ces ressources en produits manufacturés, l'Afrique doit exporter ses matières premières dont les prix varient selon la loi du marché.

29

QUELS SONT LES GRANDS DÉSERTS D'AFRIQUE AUSTRALE ?

Dans le Sud-Ouest africain s'étendent deux impressionnants déserts : le Kalahari et le Namib. Au milieu d'étonnants paysages et d'une faune très variée, vivent des peuples nomades comme les Bochimans.

LE site du Tassili n'Ajjer au Sahara, n'est pas le seul musée à ciel ouvert d'Afrique. De merveilleuses peintures et gravures rupestres ornent aussi les parois des sites de Tanzanie et du Kalahari. Ces œuvres, parfois énigmatiques, évoquent des modes de vie et une faune toujours vivaces dans ces vastes régions presque désertiques.

Les Bochimans sont un peuple de chasseurs réfugiés en bordure du Kalahari où ils mènent une vie très rudimentaire tout en perpétuant des traditions étonnantes. Ils se nourrissent de racines que les femmes sont habiles à déterrer dans la savane et de gibier que les hommes chassent à l'aide de flèches en os, empoisonnées avec de l'extrait de chenille. Ils connaissent les étoiles, la faune et la flore de leur territoire et savent confectionner de superbes parures avec des éclats de coquilles d'œufs d'autruche. Peintres de talent, ce sont aussi de remarquables danseurs.

Ces hommes, qui ne sont plus que quelques milliers, ignorent les métaux, se passent de poteries, de tissus et de maisons en terre. Ils souffrent de la proximité d'une Afrique de plus en plus tournée vers le modernisme où les nomades ont bien du mal à conserver leur place.

QUELLE EST LA PLUS GRANDE ÎLE D'AFRIQUE ?

Si Madagascar, la plus grande des îles, est très originale par sa population composite, d'autres comme Zanzibar ou l'île Maurice ont la réputation d'être des paradis à épices.

D^E la mer Rouge au cap de Bonne-Espérance, s'étire un chapelet d'îles dont certaines furent fréquentées dès l'Antiquité par les marins égyptiens puis carthaginois, romains, chinois, indiens et enfin arabes. Ces derniers établirent sur ces îles des comptoirs commerciaux prospères, têtes de pont de leurs expéditions caravanières qui s'enfoncèrent profondément dans un continent alors inconnu.

On y retrouve certains vestiges de leur passage et leurs descendants fréquentent pour la plupart les mosquées. Ils ont su préserver leurs particularismes d'insulaires, tout en vivant en harmonie avec les populations de la côte. Madagascar est le creuset d'un métissage de populations africaines et indonésiennes. Ces dernières y ont importé leur architecture et la culture du riz. Riche en minerais et en pierres précieuses, jadis exportatrice de café et d'épices, elle est aujourd'hui plongée dans d'inextricables problèmes politiques qui l'ont réduite à un état de grande pauvreté. Sa voisine, l'île Maurice, a mené à bien l'intégration des diverses souches qui composent sa population en majorité indienne, et donne une meilleure image de réussite. Enfin, des îles comme la Réunion ou Mayotte sont demeurées françaises et vivent le statut de département ou de territoire d'outre-mer (Dom-Tom). Quant aux Seychelles, elles offrent aux touristes des paysages d'une beauté paradisiaque.

A

AXOUM : l'empire d'Axoum apparaît aux alentours de 500 av. J.-C. Sa puissance s'étend à toute l'Ethiopie du Nord et à la plus grande partie du centre, jusqu'au Nil Bleu à l'ouest et aux dépressions de l'est. Sa prospérité repose sur l'agriculture et le commerce (myrrhe, encens, ivoire, or, esclaves...). Il connaît son apogée de 520 à 527 environ, lorsqu'il domine l'Arabie du Sud, mais l'expansion de l'islam au VIIᵉ siècle entraînera son isolement.
La ville actuelle d'Axoum fut la capitale de cet empire florissant.christianisé dès le IVᵉ siècle.

ANIMISME : attitude consistant à attribuer aux choses une âme analogue à l'âme humaine.

AUSTRAL(E) : qui est au sud du globe terrestre.

AUSTRALOPITHÈQUE : anthropoïde ou singe de grande taille dépourvu de queue. L'australopithèque a été découvert en Afrique du Sud. Il savait déjà tailler la pierre et faire du feu. Il est considéré comme l'ancêtre de l'homme actuel.

ABYSSINIE : ancien nom de l'Ethiopie.

B

BANTOUS : groupe de peuples qui vivent sur la moitié sud du continent africain. Ils comprennent notamment les Shona, les Sotho, les Zoulous, les Tswana, les Xhana, les Khoisan, les Tsonga, les Sweizi et parlent des langues apparentées entre elles.

BOERS : nom donné aux descendants des colons néerlandais qui s'établirent en Afrique du Sud.

H

HAOUSSAS : peuple du nord du Nigeria et du sud du Niger. Fortement influencés par l'islam, les Haoussas sont organisés en Etats dirigés par des représentants des classes nobiliaires. Ils pratiquent des cultes de possession : des individus en transe sont censés retransmettre la parole des dieux.

K

KOUSH (PAYS DE) : nom donné à l'époque des pharaons à la région de la haute vallée du Nil, s'étendant entre la deuxième et la sixième cataracte du Nil. Pays riche en or, ouvert sur l'Afrique, sur son commerce d'ivoire et d'ébène, il attira très tôt la convoitise des pharaons qui en firent la conquête en 1530 av. J.-C. A partir du IIIᵉ siècle ap. J.-C., il connu son déclin.

M

MALARIA (OU PALUDISME) : maladie parasitaire, provoquée par des hématozoaires inoculés dans le sang par la piqûre de moustiques, et se manifestant par des accès de fièvre.

MÉLANINE : pigment brun foncé qui donne leur coloration à la peau, aux cheveux et à l'iris. Ce pigment est abondant chez les individus de race noire.

MÉNÉLIK Iᵉʳ : fils de la reine de Saba et du roi Salomon d'Israël. Fondateur légendaire de la dynastie des empereurs d'Ethiopie.
(Ménélik II : empereur d'Ethiopie (1889 - 1913))

MONOTHÉISTE : se dit d'une religion qui affirme l'existence d'un seul Dieu.

N

NIL BLANC (BAHR EL-ABIAD) : nom donné au Nil du Soudan, entre le lac Nô et sa jonction avec le Nil Bleu.

NIL BLEU (BAHR EL-AZRAK) : fleuve d'Ethiopie et du Soudan issu du lac Tana. Il rejoint à Khartoum le Nil Blanc et devient le Nil.

NILOTIQUE : relatif au Nil, à son delta, aux contrées riveraines.

NUBIE : région désertique de l'Afrique nord-orientale s'étendant d'Assouan (Egypte) à Khartoum (Soudan) et aux déserts avoisinants. A l'époque des pharaons, cette région était connue sous le nom de *pays de Koush.* Les Grecs et les Romains l'appelèrent l'Ethiopie.

P

PALÉONTOLOGUE : savant spécialiste de la paléontologie, c'est-à-dire la science des êtres ayant existé sur la terre avant la période historique et qui est fondée sur l'étude des fossiles.

PISÉ : maçonnerie faite de terre argileuse, délayée avec des cailloux, de la paille.

PRÊTRE JEAN (ROYAUME DU) : souverain légendaire dont le nom apparaît en 1145 et que l'on dit avoir régné au-delà de l'Arménie et de la Perse. Une tradition plus récente, qui le place en Ethiopie, est due surtout aux voyageurs portugais qui, dès le début du XVIe siècle, donnèrent ce nom au souverain éthiopien.

S

SAHARA (CLIMAT) : zone d'aridité, caractérisée par la rareté et l'extrême irrégularité des précipitations. Les tempêtes de sable, très spectaculaires, s'accompagnent souvent d'un vent du sud-est qui provoque une élévation de température (le sirocco). L'importance de l'ensoleillement amène parfois les températures à des niveaux records : maximas absolus de plus de 50°, voire 55°. Les amplitudes thermiques entre le jour et la nuit sont importantes (15 à 30°). En hiver, des minimas absolus inférieurs à 0° sont parfois observés.

SCARIFICATION : incision superficielle de la peau pratiquée à l'aide d'une lame tranchante ou scarificateur.

SIDA : syndrome d'immunodéficience acquise. Maladie virale sexuellement transmissible caractérisée par une altération de l'état général et l'apparition de ganglions assez volumineux.

T

TASSILI : nom d'origine berbère signifiant plateau. Tassili des Ajjer : massif montagneux du Sahara central, conservant des peintures et des gravures rupestres préhistoriques.

TELEKI : comte Samuel Teleki. Né en Hongrie en 1845 d'une famille riche et noble. Expédition de 1886 à 1888 en Afrique orientale. Il découvre les lacs Rodolphe (actuel Turkana au nord du Kenya) et Stépanie en Ethiopie.

Y

YORUBAS : peuple du sud-ouest du Nigeria, du Togo et du Bénin. Ils ont créé des royaumes au XVe siècle qui ont connu de brillantes civilisations. Ils sont agriculteurs, commerçants ou artisans. Leur religion est animiste.

3000

2589-2566. Règne de Chéops (2589-2566)
Fait bâtir la première
des grandes pyramides de Gizeh

Première période de la civilisation
minoenne en Crète.
Apparition du métal (2700-2500)

2000

Aménophis IV introduit le culte solaire
d'Aton et devient Akhenaton : première
forme de monothéisme (1364-1347)

Début de l'époque mycénienne - Grèce
(à partir d'environ 1600)

1000

Civilisation Nok - Nigeria
(900 av. J.-C. à 200 ap. J.-C.)

Fondation de Rome (753)

0

Après la défaite de Marc Antoine
et de Cléopâtre (31),
l'Egypte devient une province romaine (30)

Première grande persécution des Chrétiens
(249-251)

500

Prise de Carthage
et conquête du Maroc par les Arabes
(700)

Début de la domination maure en Espagne
(711)

1000

Voyage de découverte de l'écrivain arabe
Ibn Battuta à travers le Sahara occidental
jusqu'au Sénégal et Tombouctou (1352)

Richard Ier Cœur de Lion, roi d'Angleterre
(1189-1199)

1500

Début de la traite des Noirs aux Amériques
(1505)

Prise de possession du Canada
par Jacques Cartier (1535)

1600

Fondation de la ville du Cap
et de la colonie du même nom
par la Compagnie des Indes néerlandaises
(1652)

Règne du Roi Soleil, Louis XIV (1643-1715)

1700

Conquête de Zanzibar
par des Arabes d'Oman (1730) :
l'île devient une base pour la traite
des esclaves en Afrique orientale

Naissance de Bonaparte (1769)

1800

Les Anglais occupent
la colonie du Cap (1806)
Guerre des Boers (1899-1902)

Etablissement du droit de grève (1864)

1900

Fondation de l'Union sud-africaine (1910) :
pouvoir dominateur de la minorité blanche

Première Guerre mondiale (1914-1918)

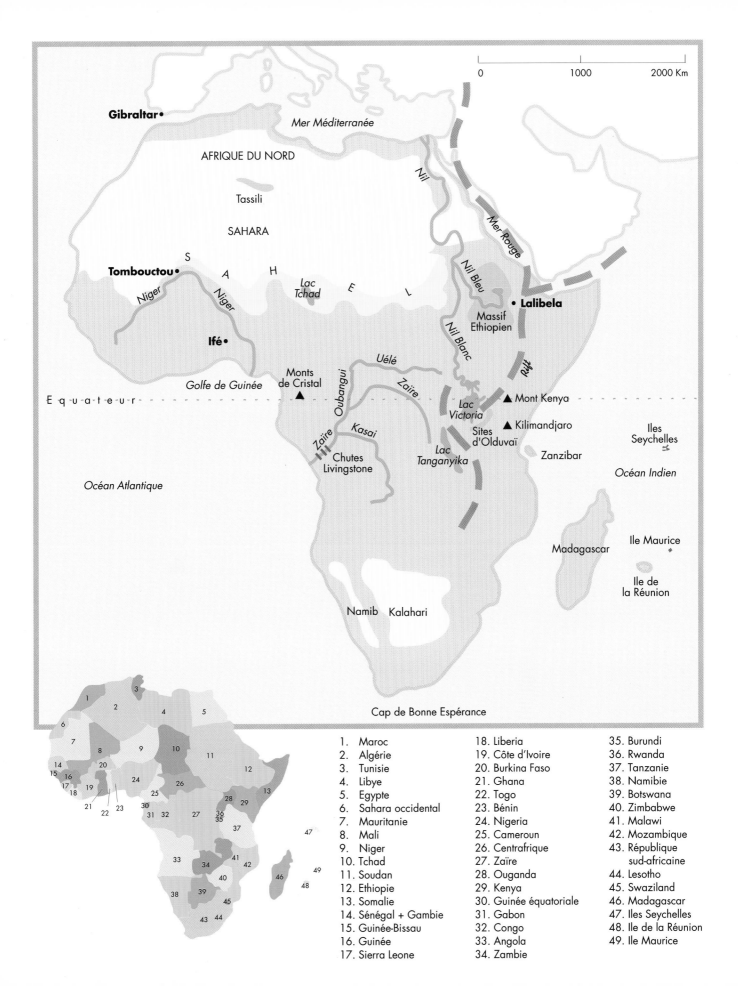

Gibraltar•

Mer Méditerranée

AFRIQUE DU NORD

Tassili

SAHARA

S   A   H   E   L

Nil

Tombouctou•

Niger

Niger

Lac Tchad

Nil Bleu

Mer Rouge

•**Lalibela**

Massif Ethiopien

Ifé•

Uélé

Monts de Cristal ▲

Oubangui

Zaïre

Nil Blanc

Rift

Golfe de Guinée

Equateur

▲ Mont Kenya

Lac Victoria

▲ Kilimandjaro

Zaïre

Kasai

Chutes Livingstone

Sites d'Olduvaï

Zanzibar

Iles Seychelles

Lac Tanganyika

Océan Indien

Océan Atlantique

Madagascar

Ile Maurice

Ile de la Réunion

Namib Kalahari

Cap de Bonne Espérance

0   1000   2000 Km

1. Maroc
2. Algérie
3. Tunisie
4. Libye
5. Egypte
6. Sahara occidental
7. Mauritanie
8. Mali
9. Niger
10. Tchad
11. Soudan
12. Ethiopie
13. Somalie
14. Sénégal + Gambie
15. Guinée-Bissau
16. Guinée
17. Sierra Leone
18. Liberia
19. Côte d'Ivoire
20. Burkina Faso
21. Ghana
22. Togo
23. Bénin
24. Nigeria
25. Cameroun
26. Centrafrique
27. Zaïre
28. Ouganda
29. Kenya
30. Guinée équatoriale
31. Gabon
32. Congo
33. Angola
34. Zambie
35. Burundi
36. Rwanda
37. Tanzanie
38. Namibie
39. Botswana
40. Zimbabwe
41. Malawi
42. Mozambique
43. République sud-africaine
44. Lesotho
45. Swaziland
46. Madagascar
47. Iles Seychelles
48. Ile de la Réunion
49. Ile Maurice

L'AFRIQUE NOIRE DE 7 À 77 ANS

Guide du Sahara
Hachette, Paris, dernière édition

Sahara, Congo, Kenya
Jean-Claude Berrier
Ed. Barthélemy, Avignon, 1992

Dictionnaire des civilisations africaines
Ed. Fernand Hazan, 1988

Aux sources du Nil
Burton et Speke
Ed. Phébus, 1981

**Histoire générale de l'Afrique
tomes 1-2-3**
Ed. Unesco/Jeune Afrique/Stock, 1980

Démocratie pour l'Afrique
René Dumont
Ed. du Seuil, 1991

Le Sahara des Peuls
Maximilien Dauber
Ed. Moser/Vilo, 1985

Le Sahara avant le désert
H.-J. Hugot
Ed. des Hespérides, 1974

**Les gens du matin, Sahara,
dix mille ans d'art et d'histoire**
H.-J. Hugot
La Bibliothèque des Arts, Paris-Lausanne, 1976

Histoire de l'Afrique noire
Ki-Zerbo
Hatier, 1978

Tassili n'Ajjer
J.-D. Lajoux
Chêne, Paris, 1977

Vers d'autres Tassilis
H. Lhote
Arthaud, Paris, 1976

Présence du monde noir
J. Mazel
Laffont, Paris, 1975

L'islam noir
V. Monteil
Ed. du Seuil, Paris, 1971

Les civilisations d'Afrique
Christian Maucler - Henri Moniot
Ed. Casterman, 1987

**Journal d'un voyage à Tombouctou
et à Jenné dans l'Afrique centrale**
R. Caillié,
3 t., Paris, Anthropos, 1965
Maspéro/La Découverte, 1979

**Explorations dans l'Afrique australe
(1840-1864)**
D. Livingstone
Hachette, Paris, 1868, Karthala, 1981

Les Routes de l'ivoire
Bernard Nantet
L'Histoire n° 126, Paris, 1989
Ed. Casterman, 1990

A travers le continent mystérieux : l'Afrique
H. M. Stanley
Hachette, Paris, 1978, Stock, 1980

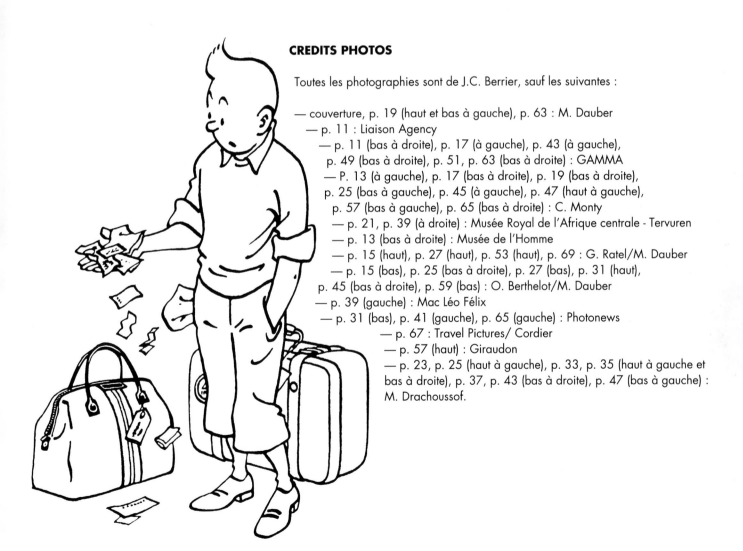

CREDITS PHOTOS

Toutes les photographies sont de J.C. Berrier, sauf les suivantes :

— couverture, p. 19 (haut et bas à gauche), p. 63 : M. Dauber
— p. 11 : Liaison Agency
— p. 11 (bas à droite), p. 17 (à gauche), p. 43 (à gauche),
p. 49 (bas à droite), p. 51, p. 63 (bas à droite) : GAMMA
— P. 13 (à gauche), p. 17 (bas à droite), p. 19 (bas à droite),
p. 25 (bas à gauche), p. 45 (à gauche), p. 47 (haut à gauche),
p. 57 (bas à gauche), p. 65 (bas à droite) : C. Monty
— p. 21, p. 39 (à droite) : Musée Royal de l'Afrique centrale - Tervuren
— p. 13 (bas à droite) : Musée de l'Homme
— p. 15 (haut), p. 27 (haut), p. 53 (haut), p. 69 : G. Ratel/M. Dauber
— p. 15 (bas), p. 25 (bas à droite), p. 27 (bas), p. 31 (haut),
p. 45 (bas à droite), p. 59 (bas) : O. Berthelot/M. Dauber
— p. 39 (gauche) : Mac Léo Félix
— p. 31 (bas), p. 41 (gauche), p. 65 (gauche) : Photonews
— p. 67 : Travel Pictures/ Cordier
— p. 57 (haut) : Giraudon
— p. 23, p. 25 (haut à gauche), p. 33, p. 35 (haut à gauche et
bas à droite), p. 37, p. 43 (bas à droite), p. 47 (bas à gauche) :
M. Drachoussof.

Imprimé en Belgique par Casterman, S.A. , Tournai - Dépôt légal : sept.1992; D 1992/0053/77 - Déposé au Ministère de la Justice, Paris
(loi n° 49.956 du 16 juillet 1949 sur les publications destinées à la jeunesse).

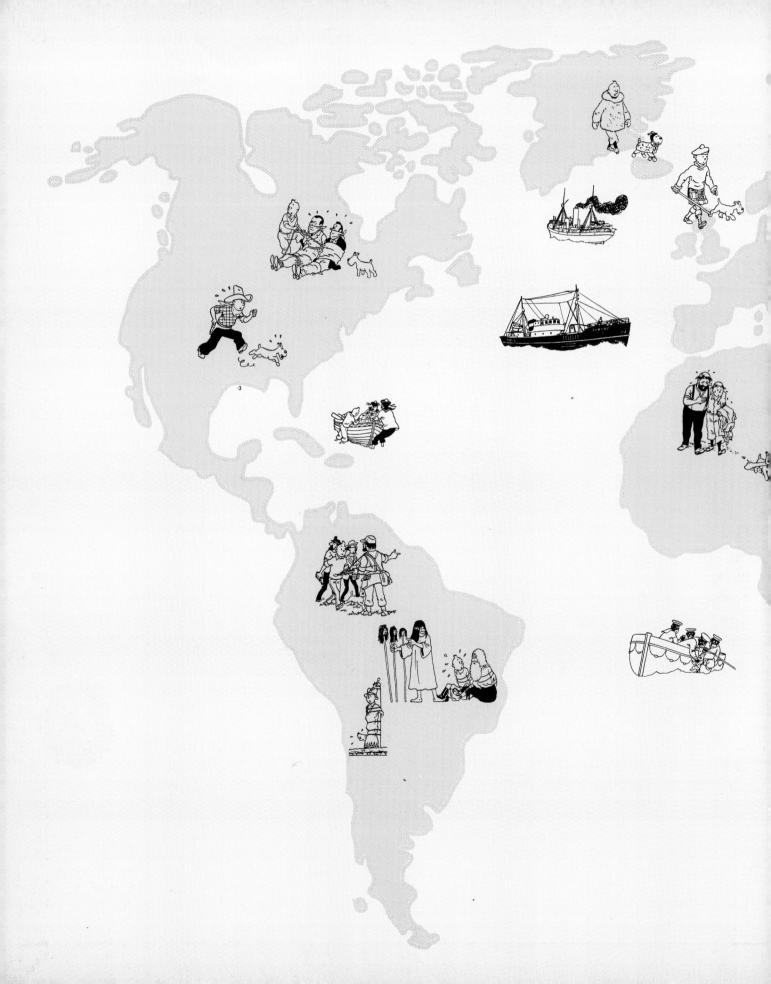